这是我的书
It's MY BOOK
6级：300字

三个苹果

作者：程以克（Vicki Cheng）
插图：陶红亮（Hongliang Tao）

U1002963

北京语言大学出版社
BEIJING LANGUAGE AND CULTURE UNIVERSITY PRESS

PHOENIX TREE
PHOENIX TREE PUBLISHING INC.

识 读 苹果 地心 有名 手机

句 型 那是……

字 数 284 字

nǐ zhī dào ma shì jiè shang yǒu sān gè hěn yǒu míng
你知道吗？世界上有三个很有名
de píng guǒ tā men gěi wǒ men de shēng huó dài lai
的苹果，它们给我们的生活带来
le hěn dà de biàn huà
了很大的变化。

dì yī gè shì shèng jīng li de píng guǒ xià wá
第一个是《圣经》里的苹果。夏娃

tīng le shé de huà chī le bù gāi chī de píng guǒ
听了蛇的话，吃了不该吃的苹果，

cóng nà yǐ hòu rén men jiù míng bai le shén me shì qing
从那以后，人们就明白了什么事情

néng zuò shén me shì qing bù néng zuò
能做，什么事情不能做。

dì èr gè shì luò zài niú dùn tóu shang de píng guǒ niú dùn shì
第二个是落在牛顿头上的苹果。牛顿是
jǐ bǎi nián qián de yīng guó rén tā shì yǒu míng de wù lǐ xué
几百年前的英国人，他是有名的物理学
jiā yǒu yì tiān niú dùn zuò zài yì kē píng guǒ shù xià xiǎng wèn
家。有一天，牛顿坐在一棵苹果树下想问
tí yí gè píng guǒ diào xia lai diào zài le tā de tóu shang
题，一个苹果掉下来，掉在了他的头上。

niú dùn ná zhe zhè ge píng guǒ xiǎng wèi shén me píng guǒ
牛顿拿着这个苹果想：为什么苹果

huì diào dào dì shang ér bú shì piāo dào tiān shang qu ne
会掉到地上，而不是飘到天上去呢？

hòu lái tā fā xiàn dì xīn yǒu yì zhǒng hěn dà de
后来，他发现地心有一种很大的

lì tā néng ràng dōng xi dōu luò dào dì miàn shang lai
力，它能让东西都落到地面上来。

dì sān gè shì měi guó píng guǒ gōng sī de píng guǒ shǒu
第三个是美国苹果公司的苹果手

jī píng guǒ gōng sī de chǎn pǐn shang yǒu yí gè biāo
机。苹果公司的产品上有一个标

zhì nà shì yí gè bèi yǎo le yì kǒu de píng guǒ
志——那是一个被咬了一口的苹果。

shì jiè shang hěn duō dì fang de rén dōu yòng píng guǒ shǒu
世界上很多地方的人都用苹果手

jī dǎ diàn huà wán yóu xì zhào xiàng hái hù xiāng
机打电话、玩游戏、照相，还互相

fā sòng zhào piàn hé xìn xī
发送照片和信息。

rén men dōu shuō zhè sān gè píng guǒ gǎi biàn le shì
人们都说，这三个苹果改变了世

jiè
界。

1 你知道吗？世界上有三个很有名的苹果，它们给我们的生活带来了很大的变化。

2 第一个是《圣经》里的苹果。夏娃听了蛇的话，吃了不该吃的苹果，从那以后，人们就明白了什么事情能做，什么事情不能做。

3 第二个是落在牛顿头上的苹果。牛顿是几百年前的英国人，他是有名的物理学家。有一天，牛顿坐在一棵苹果树下想问题，一个苹果掉下来，掉在了他的头上。

4 牛顿拿着这个苹果想：为什么苹果会掉到地上，而不是飘到天上去呢？后来，他发现地心有一种很大的力，它能让东西都落到地面上来。

5 第三个是美国苹果公司的苹果手机。苹果公司的产品上有一个标志——那是一个被咬了一口的苹果。

6 世界上很多地方的人都用苹果手机打电话、玩游戏、照相，还互相发送照片和信息。

7 人们都说，这三个苹果改变了世界。

1

2

3

4

5

6

看图讲故事

7